KB182854

꿈결에 시를 베다

실천시집선 226

꿈결에 시를 베다

2014년 10월 13일 1판 1쇄 펴냄
2022년 07월 20일 1판 6쇄 펴냄

지은이	손세실리아
펴낸이	윤한룡
편집	신한선
디자인	윤려하
관리·영업	이소연

펴낸곳	(주)실천문학
등록	10-1221호(1995.10.26)
주소	남양주시 퇴계원읍 퇴계원로 52 405호
전화	02-322-2161~3
팩스	02-322-2166
홈페이지	www.silcheon.com

ⓒ 손세실리아, 2014

ISBN 978-89-392-2226-7 03810

이 책 내용의 전부 또는 일부를 재사용하려면
반드시 지은이와 실천문학사 양측의 동의를 받아야 합니다.

꿈결에 시를 베다

손세실리아

제 1 부

제 2 부

제 3 부

제 4 부

제5부

제
1
부

진경(珍景)

북한산 백화사 굽잇길

오랜 노역으로 활처럼 휜 등
명아주 지팡이에 떠받치고
무쇠 걸음 중인 노파 뒤를
발목 잘린 유기견이
묵묵히 따르고 있습니다

가쁜 생의 고비
혼자 건너게 할 수 없다며
눈에 밟힌다며

절룩절룩
쩔뚝쩔뚝

붉은 담쟁이

불화와 우울 떨쳐내지 못해
허공에 몸 날려 해체된 19층 여자
네 살배기 아들 만나러
아파트 외벽 기어오르는 중이다

다 왔나 싶은데
이제 겨우 1.5층
손바닥 짚었다 뗀 자리마다
인줏빛 선명하다

재작년 그 일 있은 직후
오밤중 짐 꾸려 떠난 걸
아는지 모르는지

우주의 신발

등산화 다섯 켤레째다
길 위의 시간을 대변해주는 물증인 셈이다
밑창 닳고 헐거워져 버릴 때마다
한 짝씩 차례로 손바닥에 올려놓고
고양이 등 쓰다듬듯 어루만지곤 하는데
별 뜻 있어서라기보다는
길 떠도는 동안 몸 사린 적 없는 충복이자
어디든 군말 없이 따라나서 준 도반이었으니
작별의 예를 갖춤이 도리일 것 같아서다
신문지에 싸서 버리고 새 신을 고르다 생각한다
내 몸도 어쩌면 우주의 얼음 발에 신겨진
한 켤레 신발일지 모른다고
주야로 끌고 다녀 뒤축 꺾이고 실밥 터졌으나
생을 마감 짓는 날까지 벗어던질 수도
새것으로 교체할 수도 없는

그의 입장에서 보자면 곤혹스럽기 그지없는

미음 끓는 저녁

까막눈으로 살아온 팔순 노모
복지관 한글반에 입학하던 날
숙제로 내준 자음 쓰고 또 씁니다
교본 베끼는 일도 괴발개발이지만
소리 내어 읽기는 가르쳐주고 돌아서기 무섭게
헷갈려 합니다 특히 ㅁ은 그 정도가 심해
우물쭈물하다 끝내 말문을 봉해버립니다
단번에 각인시킬 묘안을 짜내지 않으면
때려치울 것 같아 궁리 끝에

김감심

피란 통 보릿고개를 배곯지 않고 넘겼다더니
이제 보니 그거 다 엄마 이름 덕이네 뭐
미음이 한 그릇도 아니고
세 그릇씩이나 든 이름을 가졌으니
그럴 수밖에

14

이름 풀이 채 끝나기도 전

득의만면 앉은뱅이책상 끌어당기더니

열 칸 공책 한가득

ㅁ, 쓰고

미음, 쑤느라

잠도 잊은 채 골똘한

혼수

산업연수원생 자격으로 한국에 와
사랑에 빠진 타잉 홍과 남 프엉은
둘만의 부부서약을 마친 뒤
쪽방 얻어 신방 차리기로 합의했는데
본국에 송금하고 월세 내고 나니
빈털터리인 거라
최소한의 세간 장만할 여력조차
막막한 거라
곰곰궁리 끝에
공단 인근 모텔 빈 객실에 잠입해
집기 훔쳐 나오다 붙잡혀
경찰서로 넘겨졌는데
장물 목록을 기록하던 경장
쯧쯧… 쯧쯧…… 혀만 차는 거라

신랑은 긴 생머리 신부를 위해
헤어드라이어와 업소용 샴푸 린스를

16

신부는 잠 많은 신랑을 위해

디지털 알람 벽시계를

반 뼘

모 라이브 카페 구석진 자리엔
닿기만 해도 심하게 뒤뚱거려
술 쏟는 일 다반사인 원탁이 놓여있다
거기 누가 앉을까 싶지만
손님 없어 파리 날리는 날이나 월세 날
나이든 단골들 귀신같이 찾아와
아이코 어이쿠 술병 엎질러가며
작정하고 매상 올려준다는데
꿈의 반 뼘을 상실한 이들이
발목 반 뼘 잘려나간 짝다리 탁자에 앉아
서로를 부축해 온 뼘을 이루는
기막힌 광경을 지켜보다가 문득
반 뼘쯤 모자란 시를 써야겠다 생각한다
생의 의지를 반 뼘쯤 놓아버린 누군가
행간으로 걸어 들어와 온 뼘이 되는

그런

똔레삽 호수

캄보디아 젖줄 똔레삽 호수엔
고무 대야 쪽배 삼아
탁류를 종횡무진하는 아이들이 삽니다
서행 중인 관광 보트 꽁무니 뒤따르며
바나나 완딸라 팔찌 완딸라
애걸하기도 하고 씨알 안 먹힌다 싶으면
부러 기우뚱 물에 빠져 허우적거리다가
되올라 타는 곡예도 서슴지 않습니다
예쁜 언니 제발 완딸라 응?
절박합니다 막무가냅니다
물건은 사주되 적선은 삼가라는 말
배곯아본 적 없어서 하는 말입니다

수상 가옥으로 귀가하는
소년 선장의 눈시울
수평선 저녁놀보다 붉은 걸 보니
아무래도 오늘은 공쳤나 봅니다

코스모스 횟집

자연산 횟집 물고기의 주둥이는 죄다 기형이다
희고 뭉툭하다 난바다에 두고 온 것들 잊지 못해
강화 유리를 향해 전력 질주한 탓이다 사나흘 미친 듯
치받고 날뛴 후에야 언제 그랬느냐는 듯 온순해진다는

그리움이라는 수조에 갇혀 돌진하던 시절 있었다
오래전 일이라 여겼으나 여전히 우둘투둘하다
통점투성이다 이것들 모 하나 없이 무뎌지려면
깊고 푸른 심해를 몇 겹이나 거슬러야 하는 걸까
까무러쳐야 하는 걸까

저기 오체투지로 해안에 이른 몽돌과
바람의 집
사슴벌레의 길
황조롱이 둥지
말끔히 비워내고 불구(佛具)가 된
개살구나무 목탁의 목피를 보라

숨구멍 하나 없다 무난하다

자식 버리고 팔자를 세 번이나 고쳤다는
횟집 여자 관상이 예사롭지 않다

도마 위 광어 미동도 없다

홀딱새

숲해설가와 함께 방태산 미산계곡에 들었다
낱낱의 사연과 생애가 사람살이와 다를 바 없어
신기하기도 뭉클하기도 하다 하지만 발을 떼는 족족
소소한 것들까지 시시콜콜 설명하려드는 통에
골짜기 깊어질수록 감동이 반감되고 만다 게다가
비조불통 기막힌 풍광 앞에서는 소음에 진배없다
서로 불편한 기색 감추기에 급급할 즈음
새 한 마리 물푸레나무 허공을 뒤흔들어댄다
검은등뻐꾸기라며 강의를 재개하려 하자
누군가 퉁명스레 막아서며

딴 건 몰러두 갸는 지가 좀 알어유 홀딱새여유
소싯적부텀 그렇게 불렀슈 찬찬히 함 들어봐유
홀딱벗꼬 홀딱벗꼬… 워뗘유 내 말이 맞쥬?

다소 남세스럽지만 영락없다
육담이려니 흘려들었는데 아니다

기막힌 화두다

생의 겹겹 누더기 훌훌 벗어던지고
가뿐해지라는

채송화

처마 밑 꽃묘 연일 수난이다
들고나는 발길 피하지 못해
어깨뼈며 정강이뼈 골절 다반사고
혼절해 널브러진 적 부지기수다
아랫동아리에 손댈 때마다
가늘게 타전해오던 맥이라니
안간힘이라니

명줄 움켜쥔 것만도 기특한데
달궈질 대로 달궈진 땅바닥에
바짝 엎드려 살아남아 마침내
폭염주의보 속 절정이 되었다
거짓 사랑과 기만과 무례로 인해
오래 황폐했던 나와는 딴판이다

얼마를 더 살아야
상처로부터 담담해질까

이토록 무연할 수 있을까

얼마나 더 깊이 울어야

저토록 뜨거운 문장이 될까

나를 울린 마라토너

다시 태어나도 아빠와 결혼하겠느냐는
아이의 질문에 한참을 묵묵…… 하다가
다른 건 몰라도 너랑은 만나고 싶어
에둘러 답했더니
자긴 안 된다며 난감해 한다 이유인즉
이십여 년 전 출전한 마라톤 대회에서
있는 힘을 다 써버렸기 때문이란다
말귀를 알아듣지 못하자
우승 부상이 엄마인 이유로
필사적 질주 끝에 월계관은 썼지만
그 후유증으로 아직까지 숨이 차고
무릎도 써금써금하다며
이런 몸으로 재출전은 무리라 너스레다
만일 선두자릴 내주기라도 한다면
그땐 엄마와는 남남일 거 아니냐
장난삼아 낄낄대다가 돌연 정색하더니
그럴 바엔 차라리

지구별에 다시 오지 않는 편이 낫겠다며
끝내 눈물바람이다
예상치 못한 뜨거운 고백에 울컥해져

이 풍진 세상에
여자의 몸으로 와
여자를 낳은 일이야말로
내 생애 가장 잘한 일이라고

다만 속으로 속으로만 되뇌는

제
2
부

탄식

사경을 헤맨 지 보름 만에
중환자실에서 회복실로 옮기던 날
효도한답시고 특실로 모셨다

―아따 좋다이 근디 겁나게 비쌀 턴디
―돈 생각 말고 푹 쉬어
―후딱 짐 싸라 일반실로 내려가게
―근천 그만 떨어 누가 엄마한테 돈 내래? 뜬눈으로 간
병한 사람은 안중에도 없지? 늙으면 남들은 안중에도 없
고 자기만 안다더니 틀린 말 아니네

설득하고 대꾸하고 통사정하다가
풀죽은 넋두리에 벼락 맞은 듯 기겁해
황급히 입원 도구를 꾸렸다

―아가 독방은 고독해서 못써야 통로 끝집 해남떡이 베
란다서 떨어진 것도 다 그 때문 아니것냐

빙어

살얼음 낀 불갑사 계곡에서
제자리를 홀로 유유히 맴도는
물고기를 만났다
연약하고 투명한 체구임에도
진저리 치는 법 없이
도토리 단풍잎 가라앉혀놓고
침묵 속 고행 중이다

사는 일이
알몸뚱이로 얼음장을 뒹구는 것과
다르지 않다며 겹겹 중무장하고도
뼛속까지 파고드는 삶의 오한에
괴로워한 지난날이 무안해져
자릴 뜨지 못하는 나를 응시하다
홀연히 자취 감추는

은수자(隱修者)* 같은

---

* 숨어서 도를 닦는 사람

세족례

쉰 줄에 뇌혈관질환으로 나가떨어진
할아버지와 큰아버지와 아버지
사촌형과 큰형과 작은형을 둔 남자
지천명 목전이다
기를 쓰고 관리해도 피해갈지 말진데
잔결함 속출에도 아랑곳없이
줄담배와 단방약을 끼고 산다
방관할 수만은 없어
생업전선에 뛰어든 여자 밤마다
발바닥뼈라는 뼈들 욱신거려 끙끙 앓는데
위로는커녕 당장 때려치우라며
볼멘소리로 일관한 지 이태

불알친구 조문 갔다
엉망으로 취해 돌아온 저녁
스테인리스 대야에 물 데워
두 발 끌어다 담그더니만

묵묵히 마사지다

때로 도망쳐 바람처럼 떠돌고 싶었으나
때마다 제풀에 발목 붙잡혀 주저앉은
여자의 퉁퉁 부은 발을
남자의 힘줄 불거진 손이 감싸 쥔

수난 주간
성목요일

텃세

엄동에도 꽃이 피고 지는
기후만 믿고 공사를 시작했다가
다섯 달이나 걸렸다 게다가
백수를 넘긴 가옥의 형태를
가능한 보존하려다 보니
손대는 일마다 더뎠다 낭패다
허나 재촉하지 않았다
섬에 들었으니
섬의 속도를 좇는 게 순리 아니겠는가
드디어 세간 들이던 날
고친다고 헌 집이 새집 되냐
입 모으던 이웃들
요망지다* 잘도 요망지다 한다
조천 사람 앉은자리에 검질도 안 난다기에
내심 각오하고 있었는데 웬걸
폐가 내치지 않고 깃든 일 높이 사
푸성귀 등속 문고리에 걸어놓곤

행여 들킬세라 어기적어기적 내빼는

속 깊고 귀 먼 유지 할망

수목장

성장한 네온테트라와
갑주 차림의 블랙킹크랩이 한곳에 산다
아찔하다 집게발에 낚아채이기라도 할라치면
단번에 황천행이거나 최소 중상이겠다
가엾다 주절대는 볼멘소리를 들었던지
관상어 담당 직원이 뽀로통하게 내뱉는다
진종일 빨빨거리며 싸돌아다니는 놈과
끼니때나 꿈틀대는 놈의 동거니 맞춤이죠 뭐
말본새로 미루어 집을 따로 분양해줄 만큼
희귀종이 아니니 신경 끄라는 투다

따개비 수초 근처에 숨어 지내거나
무리지어 다니는 게 두려움 때문이라는 걸
일러주려다 관두고 돌아와 가위눌린 이튿날
열대어 코너를 다시 찾았다
뜰채에 주검 한 구 인양되고 있다
붉고 푸르다 반짝! 눈부시기까지 하다

화장 짙고 장신구 요란하던 시절 있었다
위태롭고 절박할수록 치장이 심했다
주저앉고 싶어질 때마다
어금니 악물고 전력 질주했다

그새 뻣뻣하게 굳어버린 물고기의 최후를
늙은 산수유나무 아래 파묻고 돌아선다
올봄, 꽃몸살 극심하시겠다

문전성시

해안가 마을 길에 찻집을 차린 지 달포
발길 뜸하리란 예상 뒤엎고 성업이다
좀먹어 심하게 낡은 가시나무 탁자 몇
좀처럼 빌 틈 없다 만석이다

기별 없는 당신을 대신해
떼로 몰려와
종일 죽치다 가는

눈먼 보리숭어
귀 밝은 방게
남방노랑나비

불가촉천민

인도 북부 아그라에 갔다가
성 밖 빈민가에 들른 적 있다
세간 들여다보이는 움막에선
신두르 붉게 칠한 젊은 아낙
젖퉁 드러내놓은 채 수유 중이고
보리수나무 그늘에선 초로의 사내가
몇 줄 힌디어를 끼적이고 있다
흙 위의 집필이 끝나기를 기다렸다가
사진 촬영 여부를 물었다
유명한 시인이라며 컷 당 1불이란다
바람만 불어도 사라질 초고를 담아
횡재한 듯 릭샤에 오르는데
뒤통수에 꽂히는 가이드의 조소

여긴 우마와 다를 바 없는
불가촉천민 주거지예요
시인이면 뭐해요 그래 봤자 고작 1달런데

당귀밭에서

세 살배기 당귀의 꽃을 딴다
두어 해 더 자라야
효험 있는 약재가 된다는 말에
촘촘 박힌 꽃 속 푸른 씨앗을 야멸치게 제거한다
이런 꿍꿍이를 알아채기라도 한 듯
사방에 꽃 퍼 올리느라 기진맥진인 당귀

손 없이도 환갑 넘도록 의연하셨다던 아버지
소다로 다스려지지 않는 체증 누그러뜨리려
읍내 의원에 갔다가 위암 판정받은 직후
논 몇 마지기 내걸고 씨받이 수소문했다는데
그때 심정이 저러했을까

당귀의 꽃씨를 날로 먹는다
세 살 적 여읜 아버지를 모신다

눈물겹게 달달한

은유적 생

광교산 자락 무허가 식당에서 일하는 산숙 씨 손수 재배
한 시금치 앉은걸음으로 반나절 넘게 캐 손수레에 싣고 가
게로 돌아가던 중 왕벚꽃 터널 혼자 보기 아깝다며 육성
중계해줍니다 고단할 테니 어서 가 쉬라는 말 일축한 채
일당받고 출장 나와 꽃구경하는 처지에 이깟 일 힘들어하
면 염치없는 거 아니냐며 여기야말로 신의 직장이라 너스
렙니다 노조간부하다 미운털 박혀 잘리고 퇴직금 털어 손
대는 일마다 거덜 나 남은 거라곤 바슬바슬한 몸뚱이뿐이
지만 죽는소리 일절 없습니다 모르긴 몰라도 생과 맞짱 뜨
는 참일 테지요 뒤차의 신경질적인 경적 더는 모르쇠 못하
겠던지 전화 끊으려다 말고 불쑥 화장실 문짝에 시 붙여놨
다며 저작료는 알아서 수령해가라 통고합니다 숯불제육
구이에 동동주 거둬 먹이려는 핑계일 터 하루쯤 책상머리
벗어나 콧바람 쐬라는 출장 명령일 터

고달픈 생에서 길어 올린
놀랍도록 번뜩이는

43

강정

평화의 섬 제주 해군기지 건설안을 두고
서귀포 작은 마을의 주민 간 반목이
극에 달했다는 뉴스를 보다가
평화에 대해 생각합니다 평온 화목 이따위
장님 문고리 잡는 식의 어물쩍한 뜻 말고
전쟁 분쟁 또는 일체의 갈등 없는 상태 등등의
국어사전식 관념적 풀이도 말고
가슴을 후려치는 그 무엇을 생각합니다

공평할 平 화할 和
떼고 자시고 할 것 없는 平은 내버려두고
양손을 和 가운데 푹 찔러 넣고
틈을 벌려보니
벼 禾 입 口

잘 영근 나락 가마니 공평하게 나눠
집으로 향하는 지아비의 당당한 걸음입니다

고봉밥 차려내는 어미의 분주한 손길입니다
아이가 푸지게 눈 황금빛 똥이며
그 똥 거름 삼아 이듬해 피어나는 갯메꽃입니다
꽃나팔 다칠세라 살그미 내딛는 해녀의 까치발이며
헤갈라진 발꿈치 뒤따르는 갯강구입니다

인간의 언어로 못 박아 선언한 순간
분쟁의 도화선이 된

조천朝天에서

섬에 들었다

설다 설지 않은 게 없다

백수를 넘긴 바닷가 늙은 집과

양보하고 타협하며 허물을 트는 일도

혼자 먹는 밥도

오지 않는 전화를 기다리는 일도

서글프고 막막하기 짝이 없다

이렇듯 허둥대다 보면 다시 밤

설은 것들 언제쯤이면 익숙해질까 싶다가

서툴기만 했던 관계를 떠올린다

모든 게 처음이던

하여 생의 전부가 요동쳤던

작살날 것만 같았던

도망쳐온 섬의 밤은 길다 아직

설고도 설다 얼마를 더 뒤척여야

아침 하늘이 열릴까

제
3
부

꿈결에 시를 베다

오랜 서울 생활을 접고
안성 생가로 거처를 옮긴 경산 선생이
단체 서한으로 환향의 연유를 알려왔는데
이를 친필 서한이나 되듯 간수하고 있다
꽃 좋은 산수유 한 그루 겨우 뽑아 싣고
늙은 아내와 고향에 염치없이 돌아왔노란
두 줄 소회 때문이다 선생으로서야
예사로 건넨 근황이겠으나 시로써도 손색없다
고희를 목전에 두면 일거수일투족이
자동으로 시와 직결되는 것이려니 싶어
부럽기도 했던 것인데 집들이 날
회화나무 목침에 적힌 글귀를 훔쳐보고 난 후
나의 경박함이 심히 부끄러워
귀가하자마자
붓펜으로나마 옥양목 베개에 적어보는

시침(詩枕), 꿈결에 시를 베다

필사적 필사筆寫

필사라곤 해본 적 없는 나로선
사순 시기에 성서를 옮겨 썼다는 교우나
좋은 시 베껴 쓰기를 반복한다는
문청을 대할 때마다 신망과 열의보다는
행위의 단순성에 반감이 들곤 했습니다 그런 내가
이즈음 생애 첫 필사에 필사적입니다 다름 아닌
살면서 가장 보람 있을 때가 언제냐는
누군가의 물음에 대한 당신의 답변

직접 키운 고추를 말려
마지막으로 고추의 꼭지를 딸 때*

거창하고 심오한 화두를 기대했다가
그게 전부란 걸 알았을 때의 황망함이라니요
밭이랑이 곧 글 이랑임을
헤아리지 못한 우매함이라니요

가을입니다
내일은 주말농장에 심자마자 방치해둔
고구마 몇 주 돌보러 다녀와야겠습니다
당신 안부도 전할 겸

---

* 박경리 선생의 말

팔삭둥이 수선에게

가을 가뭄을 뚫고 수선의 새순이 오셨다
서리도 내리기 전인데 심히 이르다
무혀가 건물을 철거하면서
만개 직전 참수당한 수선이
해가 바뀌기도 전 서둘러 찾아오신 게다
꽃에 이르기까진 아득하고도 멀다는 걸
아는지 모르는지
막무가내 키를 키우는 일에만 열중인
수선에게 다가가
오래전 얘기 들려주며 안심시킨다
양잿물과 개꽈리즙으론 요지부동인
뱃속 애물단지를 떼버리려
언덕에 올라 구르기도
살얼음 강물에 뛰어들기도 한 모태로부터
참다못해 탈출을 감행한 아이가 있었다고
설령 살아남는다손 쳐도
사람 구실 하긴 글렀다 수군대던

철들고도 한참을

이름 대신 팔삭둥이라 호명되던

네 앞에 쭈그려 앉은

노안

마흔도 되기 전
지근거리의 상이 아른거리고
활자 겹침 증상이 나타났다
글을 깨친 이후 무참히 혹사당한 눈이
일찌감치 반기를 든 게다
바늘귀를 비켜간 실은 번번이 허공을 꿰었고
손톱 반달만 한 쇠별꽃의 꽃잎 수를
헤아리는 일도 여의찮아졌으며
절절 끓던 사랑마저도 아득아득해져
외롭고
때로 슬펐다
돋보기 하나면 간단할 일인데
볼록 유리알 너머의 생경스러움을 핑계로
오 촉 전구 불빛마냥
침침한 맨눈 고집하며 지내던 어느 날
남은 생 보이는 것만 보고 살라 이르는
가까울수록 반 발짝쯤 물러서라 이르는

오래된 눈과 마주쳤다

미욱함 일깨우려
서둘러 찾아오신 현자(賢者)

욕타임

오천 평 농장일도 척척
중증 치매 시아버지 병 수발도 척척
종갓집 외며느리 역할도 척척인 여자가 있다
곱상한 외모와 왜소한 체구만 보면
손끝에 물 한 방울 묻히지 않고 살 것 같은데
일일 노동량이 상머슴 저리 가라다
그 정도면 신세 한탄으로 땅이 꺼질 법도 한데
볼 때마다 환하다 생색내는 법 없다
슬쩍 비결을 물었다

궁금하나? 하모 내만의 비법이 있재 내도 인간인데 와
안 힘들겠노 참다참다 꼭지 돌믄 똥차로 냅다 뛰는 기라
거기서 싸잡아 딥다 욕을 퍼붓는 기지 나가 느그 집 종년
이가 뭐가 떠받들어도 살지 말찐데 주둥이만 얼믄 뭔노
무 불만이 그리 많노? 그리 잘하믄 늬 누이들이랑 순번제
로 돌아가면서 모시지 와 내한테 미루는데? 욕만 하는 줄
아나? 쏙이 후련해질 때까지 고함치고 삿대질도 한다카이

그라고나믄 뭍으로 유람 댕겨 와 해가 중천인 줄도 모리고 디비 자빠져 잠든 떠동갑 황소고집 서방도 불쌍코 공주 행세하는 시엄씨도 불쌍코 정신 오락가락하는 와중에도 문서란 문서 거머쥐고 호령하는 시아배도 불쌍코…… 뭣보다도 쉰 넘은 나이에 체신머리 읎게 욕이나 씨부리쌌는 내 드러븐 팔자도 불쌍코

감귤밭 터줏대감 늙은 개도 꼬리 내리고 납작 엎드려 잠자코 들어준다는

파일럿

과녁을 조준하는 사격수가
방아쇠를 당기기 직전
일순 호흡을 멈추는 것처럼
착륙을 시도하는 조종사도
10초가량 호흡이 멎는다지
고도의 집중을 꾀함에 있어선
짐짓 유사해 보이지만 둘 사이엔
의식과 무의식이라는
엄청난 간극이 있다지

공중에 들려 있던 바퀴를
활주로에 안착시키고 나서야
비로소 돌아오는
숨!

몇만 피트 상공을
수천 킬로미터 속도로

날갯짓하는 일이란

자신을 온전히 내걸지 않으면 허락되지 않는

엄준한 의식일 터

생의 이 너머와 저 너머를 넘나드는

초인적 여정일 터

지상의 노정 중

이토록이나 외롭고 높고 쓸쓸한

그야말로 담대하고 장엄하고 매혹적인

통한다는 말

통한다는 말, 이 말처럼
사람을 단박에 기분 좋게 만드는 말도 드물지
두고두고 가슴 설레게 하는 말 또한 드물지

그 속엔
어디로든 막힘없이 들고나는 자유로운 영혼과
흐르는 눈물 닦아주는 위로의 손길이 담겨있지

혈관을 타고 흐르는 붉은 피도 통한다 하고
물과 바람과 공기의 순환도 통한다 하지 않던가

거기 깃든 순정한 마음으로
살아가야지 사랑해야지

통한다는 말, 이 말처럼
늑골이 통째로 무지근해지는 연민의 말도 드물지
갑갑한 숨통 툭 터 모두를 살려내는 말 또한 드물지

낌새

산새 죽은 자리 깃털 분분하다

먹고 싸는 일을 직방으로 해치우며 살아온

날 것의 최후답게 말끔하다

뼛속까지 텅 비었으니

해체도 간단했으리라

새로서야 몸의 하중이 가벼울수록

자유로운 비행이 수월해서라지만

새도 아닌 노모

사소한 동작에도 분질러지고 바스러져

툭하면 깁스 신세다 얼마 전엔

잇몸뼈까지 도려냈다 그뿐인가

지리는 일 잦아져 바깥출입도 삼간다

기필코 날고야 말겠다는 듯

하루하루 새를 닮아가는

부적

입천장을 뚫고 이가 돋았다
흡사 종유석 같다
설상가상 매복치도 여럿이라
방치하면 낭종으로 번질 수도
인접치의 손상도 우려된다는 말에
즉석에서 발치를 결심했던 것인데
생소한 이름 탓이었을까
감정의 과잉으로 상대를 곤경에 빠뜨린 일
위기를 자초한 일 꼬리에 꼬리를 문다
돌아보니 사랑도 그러했다 때로
이별의 단초가 될 만큼 격렬하기도 했다
과잉치 제거는 의외로 간단한데
과부하에 걸린 관계를 들어내는 일
여의찮다 난공불락이다
유출금지라는 이 어렵사리 얻어
몸에 지녔다 수위 조절에 실패해
허청거릴 때마다 액막이가 되어줄

자그마치 일곱 개나 되는

적멸궁에 들다

팔만사천 번뇌 망상이 수굿해지기를 염하며
태안사 부처님 전에 오체투지 해보지만
분심 여전합니다 하긴 그깟 따위로
해탈 운운한 자체가 탐심이겠지요
체념하고 담장 밖 해우소에 들었는데
쭈그려 앉아 내려다본 구덩이 아득 아찔해
무쇠 고리 단단히 거머쥡니다만
후들거리는 다리를 어쩌지는 못합니다
사정을 알 바 없는 옆 칸 보살님들
여기 빠지면 올라오는 데만
최소 이박삼일이라며 깔깔댑니다
헌데 참 기이하지요
웃음 일갈에 속세의 번민뿐 아니라
통절한 사랑마저 소멸됐으니 말입니다

햐, 참선도량이 따로 없습니다

제
4
부

섬

네 곁에 오래 머물고 싶어

안경을 두고 왔다

나직한 목소리로

늙은 시인의 사랑 얘기 들려주고 싶어

쥐 오줌 얼룩진 절판 시집을 두고 왔다

새로 산 우산도

밤색 스웨터도 두고 왔다

떠나야 한다는 걸 알면서도

그 날을 몰라

거기

나를 두고 왔다

몸국

몸이라고 들어보셨는지요
암록색 해조류인 몸말예요
남쪽 어느 섬에서는 그것으로 국을 끓이는데요
모자반이라는 멀쩡한 명칭을 놔두고 왜 몸이라 하는지
사람 먹는 음식에 하필이면 몸을 갖다 붙였는지
먹어보면 절로 알아진다는데요
단, 뒤엉켜 배지근해진 몸의 몸
설설 끓는 몸들이
당신을 빤히 올려다보거든
십중팔구 속내 도둑맞을 테고
늑골 마구 결릴 테니
시선 얼른 피하셔야 한다는데요
몸이 몸을 먹는 일
한 외로움이 한 외로움을 먹어치우는 일
그거 말처럼 쉬운 일은 아니잖아요
울컥하기도 경건하기도 한 의식이잖아요
것 봐요 내 뭐랬어요 주의하랬잖아요

생각이 여기까지 이른 걸 보니
그새 몸에 제압당한 게 분명해요
몸이 화두가 된 게 확실해요
사랑을 폐한 게 틀림없어요

식어 뻣뻣해진 몸을 물끄러미 내려다보는 당신
쯧쯧 울고 있군요 그러고 보니 당신
몸국을 시키기 이전부터 그것의 유래를
몸소 알고 있었던 게로군요

바닷가 늙은 집

제주 해안가를 걷다가
버려진 집을 발견했습니다
거역할 수 없는 그 어떤 이끌림으로
빨려들 듯 들어섰던 것인데요 둘러보니
폐가처럼 보이던 외관과는 달리
뼈대란 뼈대와 살점이란 살점이 합심해
무너뜨리고 주저앉히려는 세력에 맞서
대항한 이력 곳곳에 역력합니다
얼마 남지 않은 나의 생도 저렇듯
담담하고 의연히 쇠락하길 바라며
덜컥 입도(入島)를 결심하고 말았던 것인데요
이런 속내를 알아챈
조천 앞바다 수십 수만 평이
우르르우르르 덤으로 딸려왔습니다

어떤 부호도 부럽지 않은
세금 한 푼 물지 않는

방명록

미당시문학관을 나와 질마재를 넘는 참인데
공과(功過)에 대한 논쟁으로 버스 안이 분분합니다

친일 행적까지는 그렇다 쳐
참회하고 자중했어야지
전두환 생일 축시는 왜 써
말당(末堂)이란 말이 괜히 나왔겠냐고
큰 시업을 이루지나 말든지 에잇 참

몇 줄 소회를 남기고 간 그도 그러했을 테지요
필시 우리처럼 착잡했을 테지요

지나는 길인데 안 올 수는 없고
오긴 왔는데 좋아할 수만은 없고

명진스님 왈

요즘 절마다
합격기원 백일법회로 분주합니다
입시생 자녀를 둔 보살님들이
백배를 올리고 시주도 하는데요
그 지극함이 숙연하면서도
한편으론 딱하기도 합니다
한번 생각해봅시다
기도한 사람 자식만 합격시켜준다면
이거야말로 부정입학이며
특혜 아니겠습니까
이런 말도 안 되는 소원을 들어달라니
부처님도 참 폭폭할 노릇일 겝니다

금강경을 읽다

앙다문 입에 단검을 물고
끝동아리에 삼척장검을 세우자
객석은 만귀잠잠하다
은쟁반과 붉은 과실주가 담긴 유리잔
환호와 탄성과 긴장까지
낱낱의 꽃잎 포개듯 착착 얹어
층층 탑을 쌓는다 그야말로 무아경이다
천지 사방 막힘이 없다 광활하다 거기
상팔담 금강모치 유영하고
삼일포 만리화 핀다 어디 그뿐이랴
지리산팔랑나비 너울대고
금잔옥대 샛바람 속에 의연하다

평양모란봉교예단 인민배우가
일필휘지로 허공에 써내려간 금강경
오자(誤字) 하나 없다
달필이다

벼락지*

마실 다녀온 노모 손에
상추 한 봉지 들려있습니다
좌판 앞을 그냥 지나치지 못해
사들이기 시작한 지 아흐레쩹니다
처음 며칠은 밥도둑 저리 가라던 것이
며칠 지나지 않아 풋내도 나고 물려
본척만척했더니만
부엌일에서 손 뗀 지 오래인 당신
손수 버무리기 시작합니다
그 동작이 어찌나 날랜지
잎에 간 밸 틈 없고 금방이라도
밭으로 기어갈 듯 싱싱합니다

곧 고동 오를 테니 며칠만 더 먹어주자
설마 쇠어빠진 거 갖고 나오겠냐
차려주는 밥상도 귀찮을 나이에
오죽하면 뙤약볕에 나와 종일 저러고 있겠냐

잊었는지 모르겠다만
나도 너 그렇게 키웠다

천둥 번개 치듯 벼락 때리듯
삽시간에 무쳐 내놓은
준엄한 말씀 한 접시

---

* 벼락지: 겉절이의 전라도 방언

시캬

마석가구공단 뒤켠 쪽방촌 어귀엔 무슨 무슨
마트라는 한글 상호 하단에
siekya라 써넣은 상점이 있다
전자사전은 물론이거니와 네이버 지식인에도
올라있지 않은 국적불명의 이 영단어에는
이주노동자들의 신산한 삶이 배어 있다는데
말하긴 뭣하지만 이 새끼 저 새끼
망할 놈의 새끼… 할 때의 영문표기란다
가게 주인의 상투적인 말투를 Hi쯤으로 알고
딴엔 멋진 한국식 인사라며 고용주에게
시캬 시캬 하다가 혼쭐났다는 일화는
한 편의 빼어난 블랙코미디다

샬롬의 집에 초대 받아 시를 낭송했다
손가락 세 개를 공장 마당에 묻고
방글라데시로 추방당한 씨플루에게
폐암 말기로 고국에 돌아가

허말라야 끝자락에 묻힌 네팔인 람에게
열세 번의 구조요청을 묵살당한 채
혜화동 길거리에서 얼어 죽은
조선족 김원섭 씨에게 사죄하고자 섰다

시인으로서가 아닌
코리안 시캬로 섰다

아버지의 헛기침

병간호에서 임종까지
자식 된 도리에 남달랐던 둘째 시숙
묵묵히 유품 정리하던 도중
실밥 뜯어진 목욕 가방 물끄러미 내려다보다
말문을 텄다

　사느라 전화조차 뜸한 장손에 대해서는 가타부타 말씀
삼가셨고 매달 생활비 송금하는 막내는 가는 데마다 자랑
이면서 시도 때도 없이 호출해 오라가라하는 내겐 고맙
단 빈말 한 번 없으셨다 부모 자식 간이니 아무렴 어때 넘
기다가도 솔직히 때론 야속하기도 했지 그런데 방금 깨달
았어 생각이 짧아 미처 몰랐음을 이미 넘치게 표현하셨음
을……, 명절날 목욕탕에 모시고 가면 성미도 급하게 온탕
에서 빠져나와 마른 수수깡 같은 등 디밀고선 품앗이로 등
밀이하는 동네 노인들 향해 여보란 듯 연신 헛기침까지 해
대면서 한껏 거드름 피우곤 하셨는데 그 기침이야말로 둘
째가 최고라 치켜세워주신 거였다는 걸

이태리타월 손에 끼고

허공 내저으며 흐느끼는

삼 형제 중 아버지를 쏙 빼닮은

올레, 그 여자

숨을 데가 필요했던 게지
맺힌 설움 토로할 품이 필요했던 게지
절대가치라 여겼던 것들로부터
상처받고 더러는 깊이 배신당해
이룬 것 죄다 회색도시에 부려 놓고
본향으로 도망쳐와
산목숨 차마 어쩌지 못하고
미친 듯 홀린 듯
오름이며 밭담 이정표 삼고
바닷바람 앞장세워 휘적휘적 쏘다니다
설움 꾸들꾸들해질 즈음
덜컥 길닦이 자청하고 나선 여자
처처 순례객들 길잡이가 된 여자
그러다 정작 자신만의 오시록한 성소 다 내주고
서귀포 시장통 명숙상회 골방으로 되돌아온 여자
설문대할망의 현신이니
여전사니 말들 하지만

알고 보면 폭설 속 키 작은 홑동백 같은 여자

너울 이는 망망바다 바위섬 같은

그 여자

사재기 전모

한동네 사는 글쟁이 몇이 밥 먹기로 약속한 날 하필이면 대형 서점의 일부 베스트셀러 순위가 대형 출판사의 사재기로 조작됐다는 기사가 대문짝만하게 실렸다 저마다 분통 터져 하는데 우리 중 막내이면서 스테디셀러 시집으로 자리매김한 택수만 별말 없다 한참 만에야 비장하게 말문을 터 저…… 실은… 제 시집도… 사재기와… 무관하지 않아요 실토한다 화장품 방문판매원인 노모가 주범이란다 시집 출간 직후 어깨 탈골로 접골원 찾는 일이 빈번하기에 짚이는 데가 있어 가방을 뒤졌더니만 화장품 반 시집이 반이더란다 먹지도 입지도 못할 종이때기를 누가 사나 싶은 노파심에 이문 한 푼 안 남는 책장사를 자청해 무려 일흔일곱 권이나 팔았단다 억장 무너지고 눈물도 나오지 않더라는

호랑이 어금니 같은 시집을 다시 펼친다
울컥, 가을이 깊다

제
5
부

고해성사

몰운대에 다녀왔습니다
선 채로 벼랑 끝에 입적한
나무 성자를 만나고 왔습니다

사랑을 등진 죄
도리를 다하지 못한 죄
고해하고 왔습니다
이밖에 알아내지 못한 죄에 대하여도
통회하오니 사해달라는
간청 또한 잊지 않았습니다

죽은 나무와 나 사이에
비밀이 많습니다

첫사랑

첫사랑은 순금과도 같아서
숱한 세월에도 퇴색되는 법 없고
곤궁할수록 진가를 더한다

세상 어떤 마음이 이토록
소슬바람 한 자락에도
놀라 파르르 떠는
아기 새의 가슴 같을까
수천수만의 문장을 짓고도
끝끝내 열리지 않는 말문 같을까

긴 밤 뒤척임
응답 없는 화살기도

누구도 피해갈 수 없고
누구에게나 영구한

오직 한 사람을 향한

죄 없는 맹목

개화

폭탄요금에 놀라 통화내역을 조회했다
국제전화 기록 일숫돈 갚듯 착실하다
쇠눈 끔뻑이며 겁에 질려 하는 게 짠해
혼쭐도 못 내고 침소에 들긴 들었으나
잠이 올 리 만무 다만 꼼짝 않는데
곯아떨어진 줄로 착각한 아내
이불 빠져나가더니 감감하다
미심쩍어 찾아보니 종자보관소에 웅크려
숨죽여 흐느끼며 통화 중이다 애절하다
푸념 늘어놓을 데라곤 결혼대행사뿐
반나절쯤 지났을까
세 살배기 딸까지 둔 기혼녀란 연락이 왔다
자기네도 감쪽같이 속았다며
미모의 어린 처자로 바꿔줄 테니
문제 삼지 말아달란다

끝내주는 애프터서비스다 이죽대는

불알친구 향해 주먹 날리고 돌아와
그새 옴팍 정이 든 아내 부둥켜안고서
짐승처럼 울부짖는데
이를 지켜보던 마당가 애기동백도
끝내 눈물바람이다 밤새 얼마나 울었던지
눈 벌겋다

뒷감당

노트북이 먹통이다

하드디스크에 치명적 손상이 갔다

데이터 복구비만도 기십만 원

한술 더 떠 완전 복구는 장담 못 한단다

악성 바이러스를 자동으로 퇴치하는

실시간 감시 무료 백신을 깔아놓고도

클릭 한번 한 적 없으니 당해도 싸다

게다가 출간 준비 중인 원고는 복구 불가다

달아난 시의 편린이라도 채집해보려

안간힘을 써보지만 어림없다

가물가물하다가 끝내는

저희끼리 뒤엉켜 아수라장이다

초기화된 백치 컴퓨터를 찾아 나오는데

전광판에 4대강 홍보영상 한창이다

가히 무릉도원이다 그 어디에도

이물스런 가설물로 인해

신음할 뭇 생명에 대한 연민은 없다

생태계 교란에 대한 우려도 탄식도 없다
컴퓨터 기억보조장치만 훼손되어도
무력해지는 게 인간이거늘 심지어
신의 창조영역인 강줄기를 왜곡시켜놓고
그 뒷감당을 어쩌겠다는 겐지 이쯤에서
틀어쥔 강줄기의 멱살 풀어주기를
마구잡이로 끊어놓은 혈관 봉합하기를

더 늦기 전에
그나마 돌이킬 수 있을 때

명판결

상습 절도 폭행으로 소년 법정에 선 열여섯 살 소녀가 훈
방 조치 이후 얼마 되지 않아 절도죄로 동일 법정에 다시
서게 됐다 부장판사*는 자신의 말을 따라 하도록 일렀다

나는 세상에서 가장 멋지게 생겼다

나는 세상에서 가장 멋지게 생겼다

나는 무엇이든지 할 수 있다

나는 무엇이든…… 할 수 있다

나는 두려울 게 없다

나는…두려울…… 게… 없다

이 세상은 나 혼자가 아니다

이 세상은………… 나…… 혼자가……… 아니다

머뭇머뭇 쭈뼛거리며 마지못해 따라 하던 소녀는 끝내
울음 터트렸고 판사도 비공개 재판을 돕던 이들의 눈시울
도 동시에 뜨거워졌다 잠시 후 또래 남학생들에게 집단폭
행 당한 수치심이 분노로 분출돼 자포자기 심정으로 비행

에 빠져든 정황을 꿰뚫고 있던 소년전문법관의 최종 판결
이 내려졌다

　이 아이는 가해자로 재판장에 왔습니다
　하지만 이렇게 삶이 망가진 것을 알면 누가
　가해자라고 섣불리 단정 짓겠는지요
　아이의 잘못이 있다면 자존감을 잃어버린 겁니다
　그러니 스스로 자존감을 찾게 하는 처분을 내려야지요

　그리곤 법대 앞으로 소녀를 불러 작은 손 꼭 잡고 속삭였다

　이 세상에서 가장 중요한 게 누굴까 바로 너야
　이 사실을 잊지 마
　그러면 어떤 난관도 극복할 수 있을 거야
　마음 같아선 꼭 안아주고 싶은데
　우리 사이를 법대가 가로막고 있으니 하는 수 없구나

---

* 서울 가정법원 김귀옥 부장판사의 비공개 재판

시집 코너에서

구석으로 내몰린 시집 코너를 두고
인문학의 위기니
시의 사망이니 통탄들 하지만
구색 맞춤용으로나마
웅크리고 기거할 쪽방 한 칸
무상으로 꿰차고 있으니
냉혹한 자본주의 시대에 이만하면
특혜 중에도 무량 특혜
예우 중에도 특별 예우 아닌가

단골 서점이 문을 닫았다
시는 모든 예술의 기초라며
베스트셀러 자리에 시집 진열을 고수하던
서점주의 무릎뼈가
대형유통업의 일격에 우두둑 꺾인 게다

신념을 린치당한 뒤

종적을 감춘 그에게

위로는커녕

쓴 소주 한잔 대접한 적 없는

시인의 자리 타령은 얼마나 사소한 것이냐

짱짱한 내 무릎은 또 얼마나 볼썽사나운 것이더냐

늙은 누룩뱀의 눈물

그거 알아? 전 세계 3천여 종의 뱀 가운데
누룩뱀을 포함한 0.3%만이 모성애를 가졌다는 거
산란 즉시 줄행랑인 대부분의 뱀과는 달리
친친 감고 빙빙 돌면서 따뜻하게 품어준다는 거
그러다가 체온이 떨어지면 잠시 외출해
나뭇가지에 납작 엎드려 햇볕을 쬐기도 하지만
몸이 덥혀지면 먹이 사냥도 마다한 채
새끼들 곁으로 서둘러 돌아온다는 거
저 없는 사이 적의 표적이 될지 몰라 그런다는 거
부화된 새끼가 스르르 길 떠날 때까지 보호한다는 거
그러다 쇠잔해져 맹금류에게 잡아먹히기도 한다는 거

오래전 인삼장수에게 핏덩이 떠맡긴 여자
밥은 굶어도 사람 찾기 방송은 챙겨보는 여자
죽기 전 아들에게 용서를 구하고 싶다는 여자
왜 버렸어 울부짖는 자식과
미안하다 잘못했다 어쩔 수 없었다

고갤 못 드는 출연진을 지켜보며

동병상련이 되고 마는 여자

엔딩 자막이 사라질 때까지

자릴 뜨지 못하는 여자 오늘도

차디찬 마룻바닥에 우그려 눈물바람이었을 여자

누룩뱀만도 못한 시절을 살다가

늘그막에야 누룩뱀으로 돌아온 여자

나를 낳은…… 곡절 많은

귀머거리 연가

혼수상태가 열흘을 넘어서자
산소 호흡기는 부착보다 제거가 못할 짓이니
애당초 숙고하라는 조언과
죽음이야말로 존중받아 마땅한 권리라는
고견이 조심스럽게 전해졌다
튜브를 통해 유동식을 코에 흘려 넣고
줄줄 세는 대소변을 수발하다가
엎질러진 등잔불에 화상 위중했던
유년으로 회귀한다

목숨 건사하기도 힘드니
그쯤 해두라는 수군거림 아랑곳 않고
귀머거리처럼 표정도 대꾸도 없이
벌겋게 익어 까무러진 여식 들쳐 업고
용하다는 의원 쫓아다니며
치성드리듯 백약 바르고 먹여
사람 꼴로 되살린 엄마

혼자서는 먹지도 뒤척이지도 못하는

전생의 딸을 위해

이제는 내 귀가 절벽강산이 될 차례

목숨

고사목 한 그루 공원입구에 서 있다
의아쩍음도 잠시
능소화의 연둣빛 조막손이
갈라터진 기둥 휘감고
기어오르는 모습과 일별한 이후
그 앞을 지날 때마다 유정해지곤 한다
아름드리 거목도 거꾸러뜨린 강풍에 맞서
벌써 여러 해째 끄떡없다
어쩌면 능소화의 씽씽한 뿌리 다발이
명줄 놓은 지 오래인 노간주나무 뿌리를
야무지게 물고 있기 때문일지도

폭격으로 주저앉은 건물 더미에서
죽은 어미의 젖 세차게 빨다 발견된
아프간 갓난아이처럼

어떤 말

이스라엘군이 팔레스타인의 제닌 난민캠프를 자살 테러범의 온상으로 규정짓고 2주간이나 맹공격을 가했다 그러고도 직성이 안 풀렸던지 이틀 뒤 그나마 성한 건물마저도 불도저로 밀어 초토화시켜버렸다 콘크리트 잔해와 엿가락처럼 휜 철근을 헤집고 시신 발굴 작업이 진행되자 신음과 통곡과 실신이 이어졌는데 이를 지켜보던 자원봉사자 치베스 모레의 입에서도 단말마 같은 비명과 오열이 동시에 터졌다 바로 그때 대노한 청년이 꺼져버리라며 호통치기 시작했다 미국인이라는 사실에 반감을 품은 게다 그러자 뭉툭한 손목에 붕대를 친친 감은 한 중년 남성이 어떤 말을 반복했는데 이로 인해 흥분과 소요가 이내 잠잠해졌다 본국에 돌아와서야 뒤늦게 알게 된 신의 가호보다 관대한

우리가 고통받은 것처럼
저 여자도 고통받고 있다

유산

부모 사후 재산 분배로 인한
자녀 간 분쟁 소식을 접할 때면
남의 일이지만 억장이 무너진다
부자들이야 알 바 아니지만
소액 자산가 또한 크게 다르지 않아
남만 못한 관계로 치닫기도 하는데

나 떠난 후 내 자식들도
저와 같지 말란 법 없어 묘안을 짰다
몇 푼 남겨주려 아등바등 사느니
차라리 부채를 남기자는

혼자 감당하기엔 살짝 부담스럽고
둘이 갚기엔 다소 적은 액수여서
큰아이가 3분의 2
작은아이는 3분의 1

맏이는 누이에게 조금 생색이 나고
둘째는 오라비 마음 씀에 두고두고 고마워할

딱 그만큼의

내 시의 출처

시가 절로 써지겠단 말 자주 듣는다
눈먼 보리숭어의 슬픈 도약과
사방에서 출몰하는 콩알만 한 방게
괭이갈매기의 저공비행이 목전에서 펼쳐지는
누옥을 두고 이르는 말이다 허나 내겐
시시각각이 다채로운 조천 앞바다를
몇 줄로 요약할 재간이 없으니
유구무언일밖에 이미
어떤 은유나 수사도 끼어들 틈 없는
절창인지라 삼갈밖에 기실 내 시는
저잣거리를 전전하는 탁발승의 언 발이며
아직 바다에 이르지 못한 풍경 속 목어다
신께 바치는 송가와는 거리가 먼
인간사 연민의 서술이며
거대 담론이나 혁명이나 초탈이 아닌
소심함과 머뭇거림과 뒷걸음질
미주알고주알과 하찮음과 오지랖

바닥 중에서도

맨

밑바닥

발문 · 시인의 말

찐, 짠, 찡

임옥상 미술가

"찐하고 짠하고 찡한 시 잘 읽었습니다." 이것은 김정환 시인 어머니 빈소에서 처음 만난 손세실리아 시인의 시집 『기차를 놓치다』를 읽고 내가 그에게 감사 메시지로 보낸 문구다. 그 이후 우리는 가깝게 지내고 있다. 손 시인은 '안(안석환 배우), 최(최홍규 쇳대박물관 관장), 이(이상봉 패션디자이너), 림(임옥상 미술가), 홍(홍성태 한양대 교수)' 연말 자선 파티에 고정(?) 출연하여 시를 낭송하고, 그 옥션의 최고 컬렉터가 되기도 한다.

우리는 틈만 나면 이래저래 함께 어울린다. 우리 가족 모두가 제주도 조천의 북카페 '시인의 집'에 가서 신세를 지기도 한다. 안석환 배우는 마치 자기가 처음 손 시인을 만난 것처럼 행세할 정도로 지근거리에 있다. 우리는 아주 오래전부터 알고 지낸 것 같지만, 만난 지는 아마도 7년 정도일 것이다.

사람은 자기가 할 수 있는 일이 있고, 해서는 안 되는 일이 있다. 그리고 해도 할 수 없는 일이 있다. 발문을 쓰는 일은 나의 일이 아니며 할 수도 없는 일이다. 하여, 나는 몇 날 며칠째 발문 쓰는 일로 생고생을 했다. 막상 책상에 앉기까지 물경 2개월이 걸렸다. 글쓰기는 나의 생활과는 먼 것이다. 나는 그림을 그리고 만들고 뚝딱거리는 사람이다. 글을 쓰려면 온통 그렇게 되기 위해 생활 자체를 바꿔야 한다. 고은 선생도 시 쓰는, 소설 쓰는, 잡문 쓰는 각각의 책상과 방을 가지고 있다고 했다. 각각의 곳에 앉아야 그것이 된다고 하지 않은가. 운기를 조성하고 그것이 되기 위해 분위기가 갖춰져야 모든 일이 된다. 발문은 시를 읽어야 하는 일이다. 또 시를 이해해야 한다. 분석이 돼야 조목조목 따질 수 있다. 또 독자와 주문자의 요구가 무엇인지 감을 잡아야 한다. 이러한 작업은 자기 맘대로 쓰는 신변잡기가 아니다.

'대체 나는 왜 이 일을 맡았나. 또 손세실리아는 왜 나에게 이런 일을 하게 했을까?' 오해에서 시작된 일이다. 당연히 책날개에 붙는 몇 줄 표4글인 줄 알았다. 발문은 상상하지도 못했다. 발문은 문학평론가의 영역이고, 간혹 시인들끼리 주고받는 우정의 산물이잖은가. 허허허, 덜컥 받아 놓고 뒤늦게 알고 보니 발문이라니…… 이제 와서 되돌릴 수도 없다. 약속은 약속이다.

요즘 나의 일상을 보자. 나는 올해 10월 제1회 '세계문자심포지아'를 개최하는 일을 벌이고 있다. 혼자 하는 일이 아니다. 거의 매일 사람들과 회의를 연다. 첫 해이니 더더욱 할 일이 많다. 사람 만나는 일이 제일 힘들다. 최소 100여 명이 함께 하는 일이 될 것이다. 10여 년 전부터의 꿈! 인문학과 예술이 함께 하는 축제이다 보니 더욱이나 복잡다단하다.

본래 나는 사람 만나기 좋아하고 놀기, 술 마시기, 수다 떨기 좋아한다. 벌여놓은 일이 이뿐인가. '(사)흙과 도시'를 만들어 도시농업운동도 하고 있다. 텃밭을 가꾸고, 올해부터는 연산 오계(천연기념물 제265호)를 12마리 기르기 시작했다. 생명 앞에서는 모든 것이 부차적인 일이 된다. 휴가를 가도 아차, 하며 뛰어 돌아와야 한다. 도둑고양이 앞에 선 병아리를 생각해 보라. 또 오지랖이 넓다보니 위원, 이사, 강연, 기자 회견, 전시회…….

그간 읽어온 그것, 발문들처럼 시작했다. 곧 시인의 원고가 너덜너덜해졌다. 이리 뒤지고 저리 뒤져 읽고, 줄치고, 분류하고 "아, 이건 내 몫이 아냐!" 그러다 무조건 잡고 써내려갔다. 그러나 그런다고 되나. 새벽에도 일어나 도전에 도전을 거듭했다.

드디어 답을 찾았다! 그것은 내가 문인이 아니라는 것이다. 즉, 손 시인은 상투적인 발문을 원치 않았기에 나를 낙점한 것이라고 결론을 내렸다.

손세실리아는 어떻게 시인이 되었을까

손세실리아는 시인이 아니면 그 어떤 것도 될 수 없었을 것이다. 손 시인은 스스로 자신을 어루만지고 위로하지 않으면 살 수 없는 사람이다(내가 그의 시를 읽으며 내린 결론이다). 가슴 쓰리고 안쓰럽고, 불쌍해 그냥 넘길 수 없는 상처를 받아 지우려 해도 지워지지 않는 아픔 속에 있는 사람. 연민을 떨칠 수 없는 가냘픈 영혼. 나는 손 시인의 시를 읽으며 함께 아프고, 함께 울고 함께 미친 듯 허우적거렸다.

손 시인의 작품에는 유독 어머니가 많이 등장한다. 적어도 시인에
겐 '어머니'라는 존재는 모든 것의 원인이자 결과, 궁극이다. 이러한 예
로 다음 시들을 살펴보자.

그거 알아? 전 세계 3천여 종의 뱀 가운데

누룩뱀을 포함한 0.3%만이 모성애를 가졌다는 거

산란 즉시 줄행랑인 대부분의 뱀과는 달리

친친 감고 빙빙 돌면서 따뜻하게 품어준다는 거

그러다가 체온이 떨어지면 잠시 외출해

나뭇가지에 납작 엎드려 햇볕을 쬐기도 하지만

몸이 덥혀지면 먹이 사냥도 마다한 채

새끼들 곁으로 서둘러 돌아온다는 거

저 없는 사이 적의 표적이 될지 몰라 그런다는 거

부화된 새끼가 스르르 길 떠날 때까지 보호한다는 거

그러다 쇠잔해져 맹금류에게 잡아먹히기도 한다는 거

오래전 인삼장수에게 핏덩이 떠맡긴 여자

밥은 굶어도 사람 찾기 방송은 챙겨보는 여자

죽기 전 아들에게 용서를 구하고 싶다는 여자

왜 버렸어 울부짖는 자식과

미안하다 잘못했다 어쩔 수 없었다

고갤 못 드는 출연진을 지켜보며

동병상련이 되고 마는 여자

엔딩 자막이 사라질 때까지

자릴 뜨지 못하는 여자 오늘도

차디찬 마룻바닥에 우그려 눈물바람이었을 여자

누룩뱀만도 못한 시절을 살다가

늘그막에야 누룩뱀으로 돌아온 여자

나를 낳은…… 곡절 많은

　　　　　　　　　　_「늙은 누룩뱀의 눈물」 전문

산새 죽은 자리 깃털 분분하다

먹고 싸는 일을 직방으로 해치우며 살아온

날것의 최후답게 말끔하다

뼛속까지 텅 비었으니

해체도 간단했으리라

새로서야 몸의 하중이 가벼울수록

자유로운 비행이 수월해서라지만

새도 아닌 노모

사소한 동작에도 분질러지고 바스러져

툭하면 깁스 신세다 얼마 전엔

잇몸뼈까지 도려냈다 그뿐인가

지리는 일 잦아져 바깥출입도 삼간다

기필코 날고야 말겠다는 듯

하루하루 새를 닮아가는

  정확히는 모르겠으나 시인은 도저히 상상할 수 없는 극한에 내던져
졌음을, 가슴이 턱 막혀 아려오는 것을 감출 수가 없다. 손 시인은 어
머니가 부딪혀 온 현실을 정면으로 맞서 살고 있는 것이다. 아마도 무
척이나 도망가기도, 뛰쳐나가기도 했을 것이다. 엄마가 겪었을 운명은
손 시인에겐 더 배가 되어(나의 삶은 현실이고 엄마는 엄마 일이기에) 덮쳤
을 것이다. 헤매고 헤매 여기까지 온 것이다. 어느덧 어머니는 원흉이
아니라(나는 모른다. 어떻게 화해하고 평화를 찾았는지) 길이요, 빛이요, 가
르침이요, 믿음이 되었다. 시인도 어머니의 삶과 크게 다르지 않다는 것
을 담담히 배우며 깨달아 가고 있다. "부엌일에서 손 뗀지 오래인 당신"
이 무쳐놓은 겉절이는 다시 "밭으로 기어갈 듯 싱싱"하고, "천둥 번개 치
듯 벼락 때리듯/삽시간에 무쳐 내놓은/준엄한 말씀 한 접시"(「벼락지」)
처럼 말과 행동이 응축된 음식 저 너머의 교훈이 천둥소리가 되는 순간
이다. 손 시인에겐 어머니와 동반자가 되면서 화해하는 과정이 시를 쓰
는 일이다. 어머니와의 인연을 끊기 위해, 어머니를 지우기 위해, 자신
의 탄생의 저주를 풀기 위해 쓰는 주문이다. 그 주술이 통하는 순간, 시
가 완성되어 가는 것이다. 드디어 이제 시인은 어머니를 위로하기까지
이른다. 어머니의 비상을 예견하며 시인 스스로 함께 날 수 있음을 내다
본다.

    사경을 헤맨 지 보름 만에
    중환자실에서 회복실로 옮기던 날

효도한답시고 특실로 모셨다

　—아따 좋다이 근디 겁나게 비쌀 턴디

　—돈 생각 말고 푹 쉬어

　—후딱 짐 싸라 일반실로 내려가게

　—근천 그만 떨어 누가 엄마한테 돈 내래? 뜬눈으로 간병한 사람은 안중
에도 없지? 늙으면 남들은 안중에도 없고 자기만 안다더니 틀린 말 아니네

　설득하고 대꾸하고 통사정하다가
　풀죽은 넋두리에 벼락 맞은 듯 기겁해
　황급히 입원 도구를 꾸렸다

　—아가 독방은 고독해서 못써야 통로 끝집 해남떡이 베란다서 떨어진
것도 다 그 때문 아니것냐

　　　　　　　　　　　　　　　　　　　　　_「탄식」 전문

　그러나 드디어 시인과 어머니는 「탄식」에서 주거니 받거니 보통의
일상으로 돌아왔다. 서로 넋두리를 주고받으며 웃기도 하고 때론 미워
하며 산다. 「탄식」은 우리네 보통 어머니와 딸의 그림이다. 병원 특실로
모셨더니, 막상 어머니는 칭찬은 고사하고 돈 걱정이다. 엄마를 근천스
럽다고 면박했는데 사실은 그게 아니었다. 엄마는 독방에서 느껴야 할
숨 막히는 적막이 두려웠던 것이다. 시인이 화들짝 놀라 자신의 미욱함
을 깨닫는 지점은 우리네 일상에서 번번이 등장하는 일화이기도 하다.

손 시인은 왜 시를 쓰나

손 시인은 시를 쓰려고 시작하지 않았다. 나는 그렇게 생각한다. 끼적거렸을 것이다. 낙서였고, 일기였고 잡문이었을 것이다. 외롭고 쓸쓸하지만 달리 친구도 없고, 내세울 게 없어 풀어낼 것도 없다. 덩그러니 내던져졌을 몸뚱아리 하나, 떨쳐도 떨쳐지지 않는 발가숭이 육신. 결별과 이별을 연습하고 감행하며, 쓰러지고 일어나기를 거듭했을 터. 문장이 아닌 단어 몇 조각, 서로 연결되지 않는 파편들, 허공을 넘나드는 희망, 꿈, 해방, 죽음, 삶, 저주, 악다구니, 비명, 독백……. 사춘기 소녀의 긴 시간들, 그리고 긴 터널!!! 어느 순간, 이것들이 말을 걸어와 살아 움직였을 것이다. 빛처럼 밝아왔을 것이다. 함께 친구가 되어 늘 곁에 있었을 것이다. 보듬어 주고 위로하며, 무엇보다도 긴 호흡을 할 수 있게 했을 것이다. 그게 시인지도 몰랐을 것이다. 이런 것이 시라는 것을 알게 되었을 때, 손 시인은 흠칫 놀라 새 생명을 얻은 것처럼 기뻤을 것이다. 글의 구술을 칭칭 감고 비상하는 기쁨을 누렸을 것이다. 자유! 자유를 찾았고, 느꼈고 숨쉬기 시작했을 것이다. 자유자재의 독립된 영혼이 탄생한 것이다. 이제 손 시인에게 시는 구원·구도의 길이다.

삶이 곧 시요, 시가 바로 삶이다. 시로부터 삶의 자유를 얻은 손세실리아에게 이제 세상 모든 것이 시가 된다. 그의 눈으로 본 세상은 얼마나 애잔하고 아름다우며, 재미있고 쓸쓸하며 따뜻하고 뜨거운가. 손 시인이 그리는 세상은 바로 우리 이웃의 삶이고, 시인 자신이다. 먼 얘기는 금물, 추상은 거짓, 형식은 집어치워, 안 본 것은 못 본 것, 보이지 않는 것은 없는 것, 꿈도 희망도 아픔도 슬픔도 환희도 위로도 위무도 상처도 치유도 모두 삶 속에 있는 것. 손 시인은 리얼리스트다.

제주도 조천(朝天)

최근작이라 할 제주도 생활을 담은 시가 10여 편이나 된다. 손 시인이 제주도를 찾은 것은 우연이 아니니라. 야반도주, 도망치듯 자신의 육신을 수습하고 밤에 담을 넘어 스스로 서울(일산)을 탈출하였을 것이다. 도피라고 보기보다는 새 삶을 찾아 탈주하였을 것이다.

제주 해안가를 걷다가
버려진 집을 발견했습니다
거역할 수 없는 그 어떤 이끌림으로
빨려들 듯 들어섰던 것인데요 둘러보니
폐가처럼 보이던 외관과는 달리
뼈대란 뼈대와 살점이란 살점이 합심해
무너뜨리고 주저앉히려는 세력에 맞서
대항한 이력 곳곳에 역력합니다
얼마 남지 않은 나의 생도 저렇듯
담담하고 의연히 쇠락하길 바라며
덜컥 입도(入島)를 결심하고 말았던 것인데요
이런 속내를 알아챈
조천 앞바다 수심 수만 평이
우르르우르르 덤으로 딸려왔습니다

어떤 부호도 부럽지 않은

세금 한 푼 물지 않는

_「바닷가 늙은 집」 전문

그러나 제주도 생활은 호락호락하지만은 않았다. "손대는 일마다
더뎠다 낭패"였지만 시인은 "재촉하지 않았다". "섬에 들었으니/섬의
속도를 좇는 게 순리 아니겠는가". 시인은 "요망지"게(야무지게) 섬사람
으로 인정받는다. "행여 들킬세라 어기적어기적 내빼는/속 깊고 귀 먼
유지 할망"이 "푸성귀 등속 문고리에 걸어놓"(「텃새」)고 줄행랑을 친다.
"해안가 마을 길에 찻집을 차린 지 달포"(「문전성시」)만에 사람들은 시
인을 찾아온다. 그런데 여기서 재미난 대목은 시인의 처지를 남의 처
지에 빗대어 고스란히 고백한 시가 있다.

숨을 데가 필요했던 게지
맺힌 설움 토로할 품이 필요했던 게지
절대가치라 여겼던 것들로부터
상처받고 더러는 깊이 배신당해
이룬 것 죄다 회색도시에 부려 놓고
본향으로 도망쳐와
산목숨 차마 어쩌지 못하고
미친 듯 홀린 듯
오름이며 밭담 이정표 삼고
바닷바람 앞장세워 휘적휘적 쏘다니다

설움 꾸들꾸들해질 즈음

덜컥 길닦이 자청하고 나선 여자

처처 순례객들 길잡이가 된 여자

그러다 정작 자신만의 오시록한 성소 다 내주고

서귀포 시장통 명숙상회 골방으로 되돌아온 여자

설문대할망의 현신이니

여전사니 말들 하지만

알고 보면 폭설 속 키 작은 홑동백 같은 여자

너울 이는 망망바다 바위섬 같은

그 여자

「올레, 그 여자」 전문

조천의 생활이 오롯이 담겨 있는 「올레, 그 여자」에는 새 살림의 쓸쓸함과 넉넉함이 한 편의 풍경화로 떠오른다.

시 「조천(朝天)에서」 또한 제주도 신접살이의 모든 종합이라고 할만하다. 기다림과 고독, 말문트기, 그리고 밤, 그 적막, 뒤척이고 뒤척여도 어둠은 끝날 길이 없고 파도소리만 덮쳐오는 타향살이의 연속이다. 아침하늘(朝天)은 언제 열릴까. 하지만 시인은 바로 그 순간에도 평정을 되찾는다. 그의 담담함과 넉넉함이 「내 시의 출처」에 실려 있다. 시인은 바다 중에서도 맨 밑바닥이라는 현실을 스스로 아는 것이다. 돌이켜 자신의 시가 무엇이고 무엇을 할 수 있는지, 삶 자체를 다독이며 숨을 고르는 것이다.

시가 절로 써지겠단 말 자주 듣는다

눈먼 보리숭어의 슬픈 도약과

사방에서 출몰하는 콩알만 한 방게

괭이갈매기의 저공비행이 목전에서 펼쳐지는

누옥을 두고 이르는 말이다 허나 내겐

시시각각이 다채로운 조천 앞바다를

몇 줄로 요약할 재간이 없으니

유구무언일밖에 이미

어떤 은유나 수사도 끼어들 틈 없는

절창인지라 삼갈밖에 기실 내 시는

저잣거리를 전전하는 탁발승의 언 발이며

아직 바다에 이르지 못한 풍경 속 목어다

신께 바치는 송가와는 거리가 먼

인간사 연민의 서술이며

거대 담론이나 혁명이나 초탈이 아닌

소심함과 머뭇거림과 뒷걸음질

미주알고주알과 하찮음과 오지랖

바닥 중에서도

맨

밑바닥

_「내 시의 출처」 전문

120

뭐 눈엔 뭐밖에 안 보인다

'유기견, 담쟁이, 발목 짧은 테이블, 캄보디아 소년, 채송화, 다문화 가족, 불가촉천민, 팔레스타인, 누룩뱀, 귀머거리……'

대략 이 시집에 등장하는 사물과 사람들의 모음이다. 성한 게 없다. 버려졌거나, 고장 났거나, 천하디 천한, 가난하고 못 사는 '루저'들이다. 이를 보면 시인이 어딜 보고 있는지, 무엇에 천착하고 있는지, 무엇에서 용기와 삶을 길어 올리는지 그 마음 씀씀이가 무엇인지 금방 알아차릴 수 있다. 시인은 이들에게 연민만 갖는 것이 아니다. 이들에게서 희망을 보고 시인 스스로도 위로를 받는다. 무작정 베풀지만은 않는다. 야무지게 얻어내고 배운다. 모두가 스승이 될 수 있는 것이다.

처마 밑 꽃묘 연일 수난이다
들고나는 발길 피하지 못해
어깨뼈며 정강이뼈 골절 다반사고
혼절해 널브러진 적 부지기수다
아랫동아리에 손댈 때마다
가늘게 타전해오던 맥이라니
안간힘이라니

명줄 움켜쥔 것만도 기특한데
달궈질 대로 달궈진 땅바닥에
바짝 엎드려 살아남아 마침내

폭염주의보 속 절정이 되었다

거짓 사랑과 기만과 무례로 인해

오래 황폐했던 나와는 딴판이다

얼마를 더 살아야

상처로부터 담담해질까

이토록 무연할 수 있을까

얼마나 더 깊이 울어야

저토록 뜨거운 문장이 될까

_「채송화」전문

　이밖에도 시인은 시「시카」와「혼수」에서 외국인 노동자들의 삶을
웃음(해학)으로 전개하고 있다.

마석가구공단 뒤켠 쪽방촌 어귀엔 무슨 무슨

마트라는 한글 상호 하단에

siekya라 써넣은 상점이 있다

전자사전은 물론이거니와 네이버 지식인에도

올라있지 않은 국적불명의 이 영단어에는

이주노동자들의 신산한 삶이 배어 있다는데

말하긴 뭣하지만 이 새끼 저 새끼

망할 놈의 새끼… 할 때의 영문표기란다

가게 주인의 상투적인 말투를 Hi쯤으로 알고
딴엔 멋진 한국식 인사라며 고용주에게
시캬 시캬 하다가 혼쭐났다는 일화는
한 편의 빼어난 블랙코미디다

샬롬의 집에 초대 받아 시를 낭송했다
손가락 세 개를 공장 마당에 묻고
방글라데시로 추방당한 씨플루에게
폐암 말기로 고국에 돌아가
히말라야 끝자락에 묻힌 네팔인 람에게
열세 번의 구조요청을 묵살당한 채
혜화동 길거리에서 얼어 죽은
조선족 김원섭 씨에게 사죄하고자 섰다

시인으로서가 아닌
코리안 시캬로 섰다

_「시캬」전문

산업연수원생 자격으로 한국에 와
사랑에 빠진 타잉 홍과 남 프엉은
둘만의 부부서약을 마친 뒤
쪽방 얻어 신방 차리기로 합의했는데
본국에 송금하고 월세 내고 나니
빈털터리인 거라

최소한의 세간 장만할 여력조차

막막한 거라

곰곰궁리 끝에

공단 인근 모텔 빈 객실에 잠입해

집기 훔쳐 나오다 붙잡혀

경찰서로 넘겨졌는데

장물 목록을 기록하던 경장

쯧쯧… 쯧쯧…… 혀만 차는 거라

신랑은 긴 생머리 신부를 위해

헤어드라이어와 업소용 샴푸 린스를

신부는 잠 많은 신랑을 위해

디지털 알람 벽시계를

_「혼수」 전문

　　이런 싱싱한 반전의 삶이 어디에 있는가. 실패의 구덩이에 내동댕
이쳐진 삶을 살아보지 않은 사람들에게는 이런 것이 보일 리 없다. 시
「개화」와 「세족례」도 꼭 한 번 읽어주시길 바란다. 다문화 가족이 이
처럼 많이 등장하는 시집도 드물다. 시인은 타인의 고통을 역지사지로
끄집어내어 우리 사회의 구린 내면을 들춘다.

그의 시는 한국어이다

그렇다. 한국의 시인들은 모두 다 한국어로 시를 쓴다. 그러나 내가 보기에 진정 한국어로 시를 쓰는 시인은 많지가 않다. 몇 손가락을 꼽을 수 있을 뿐이다. 손세실리아의 시가 '한국어'라는 사실은 시를 소리 내어 읽어보면 바로 알 수 있다. 낭송하기 좋은 시, 만약 작곡을 한다면 바로 노랫말이다.

전라북도 정읍 출신인 손 시인과 대화를 나누다 보면 그 내용이 모두 시다. 내가 충남 부여 출생이라서 더 그럴 것이다. 충남과 전북은 약간의 억양만 다를 뿐 거의 같다. 그래서일까?

한국어로 시를 쓴다고 하면 제대로 써야 한다. 글이 부드럽고 쉬워야 한다. 리듬과 호흡이 맞아 떨어져야 한다. 혀가 자연스럽게 굴러야 한다.

　　딴 건 몰러두 갸는 지가 좀 알어유 홀딱새여유

　　소싯적부텀 그렇게 불렀슈 찬찬히 함 들어봐유

　　홀딱벗꼬 홀딱벗꼬… 워떠유 내 말이 맞쥬

_「홀딱새」부분

얼마나 구수하고 정겨운가. 손 시인의 시는 자유시지만 마치 정형시처럼 운율이 딱딱 맞는다. 한국어의 절창. 내가 이 시집에서 뽑은 절창은 다음과 같다. 앞에 언급한 것 빼고 「진경(珍景)」, 「붉은 담쟁이」, 「욕타임」, 「낌새」, 「섬」, 「금강경을 읽다」가 그렇다. 특히, 나는 「섬」이 좋다. 마지막 연 "떠나야 한다는 걸 알면서도/그 날을 몰라/거기/나를

두고 왔다"의 마지막 부분인 '나를 두고 왔다'에서 나도 모르게 한숨을
내쉬었다. 시「팔삭둥이 수선에게」는 그 반전이,「진경(珍景)」은 운율
과 연민이,「반 뼘」은 사물을 보는 시선이,「욕타임」과「홀딱새」는 유
머가 시를 절창으로 끌어 올린다.「나를 울린 마라토너」는 또 어떤가.
이 또한 빼어난 울림이지 않는가.

다시 태어나도 아빠와 결혼하겠느냐는

아이의 질문에 한참을 묵묵…… 하다가

다른 건 몰라도 너랑은 만나고 싶어

에둘러 답했더니

자긴 안 된다며 난감해 한다 이유인즉

이십여 년 전 출전한 마라톤 대회에서

있는 힘을 다 써버렸기 때문이란다

말귀를 알아듣지 못하자

우승 부상이 엄마인 이유로

필사적 질주 끝에 월계관은 썼지만

그 후유증으로 아직까지 숨이 차고

무릎도 써금써금하다며

이런 몸으로 재출전은 무리라 너스레다

만일 선두자릴 내주기라도 한다면

그땐 엄마와는 남남일 거 아니냐

장난삼아 낄낄대다가 돌연 정색하더니

그럴 바엔 차라리

지구별에 다시 오지 않는 편이 낫겠다며

끝내 눈물바람이다

예상치 못한 뜨거운 고백에 울컥해져

이 풍진 세상에

여자의 몸으로 와

여자를 낳은 일이야말로

내 생애 가장 잘한 일이라고

다만 속으로 속으로만 되뇌는

_「나를 울린 마라토너」전문

기승전결(起承轉結)

　손세실리아의 시에는 이야기가 있다. 그래서 기승전결이 뚜렷하다. 공허하지 않다. 그런데 결(結)이 결로 끝을 맺지 않는다. 아니 맺지 않는 게 아니라 결은 결인데 다시 시작을 알리는 결, 종지부가 아닌 결이다. 그것은 어운일 수도 있으나 이야기는 끝이 없다는, 끝일 수 없다는 암시일 것이다. 한두 줄의 마지막 연들을 보라. 종결어로 끝난 게 거의 없다. '다'로 끝나는 것이 없지는 않으나 대부분 종결어가 아니다. '…지, …는, …한, …를, …런, …까, …냐, …데, …된, …겸, …은, …인, …고, …럼, …의, …는(은)으로 끝나는 게 제일 많다. 곧바로 새로운 기(起)의 시작일 수도 있는 마지막 행을 보며 나는 Never ending story로 삶을 읽는 손 시인의 세계관을 감지한다.

비록 우리네 삶이 모순과 아픔, 불합리, 꼬임, 엇박자로 가득 차 있다 하더라도 그것은 그것만이 아님을 역설적으로 말하고 있는 것이다. 삶은 계속되고 새로운 날이 다시 밝아온다는 조천(朝天)을 보는 것이다. 인생무상(無常)을 읽는 것이다. 윤회를 감지하고 생을 살아 영원을 감촉하는 것이다.

그러나 끝나지 않은 이야기에는 여유가 있고 여운이 남지만 자칫 지루할 수도 있다. 넋두리는 피로하다. 그것이 틀이 되어 억지로 꿰맞추려고 하는 것은 낭패다. 게다가 그 반복이 거듭된다면 금물이다. 손 시인의 시들은 대개가 절창이지만 한두 편의 시들은 자신의 시적 특성을 생각한 나머지 설명처럼 읽히는 부분이 있다. 묘사가 부연 설명이 되면 시적 긴장감이 떨어진다. 형식이 통일되어 똑같은 판박이가 되면 곤란하다. '기승전결'이 가지는 함정이다. 그러나 시인 자신이 직접 경험하고 느낀 것, 깨달은 것들은 이런 기우를 말끔히 지워준다. 시「필사적 필사(筆寫)」, 「꿈결에 시를 베다」와 제주시편, 가족사는 이야기의 사실성 때문에 형식을 압도한다.

바다는 하늘

손 시인의 고향인 전북 정읍은 바다와 멀다. 육지, 땅이다. 왜 시인은 바다로 갔을까. 물을 찾아 갔을까? 그러나 바다와 물은 다르다. 강과 호수도 바다와 다르다. 바다는 바다일 뿐, 일렁이는 파도의 반복음, 포효, 물보라, 색, 깊음, 어두움, 무게, 적막, 죽음, 숙명, 고독, 무(無). 나는 시「파일럿」에서 흐릿하지만 단초를 찾는다.

과녁을 조준하는 사격수가

방아쇠를 당기기 직전

일순 호흡을 멈추는 것처럼

착륙을 시도하는 조종사도

10초가량 호흡이 멎는다지

고도의 집중을 꾀함에 있어선

짐짓 유사해 보이지만 둘 사이엔

의식과 무의식이라는

엄청난 간극이 있다지

공중에 들려 있던 바퀴를

활주로에 안착시키고 나서야

비로소 돌아오는

숨!

몇만 피트 상공을

수천 킬로미터 속도로

날갯짓하는 일이란

자신을 온전히 내걸지 않으면 허락되지 않는

엄준한 의식일 터

생의 이 너머와 저 너머를 넘나드는

초인적 여정일 터

지상의 노정 중

이토록이나 외롭고 높고 쓸쓸한

그야말로 담대하고 장엄하고 매혹적인

_「파일럿」전문

과연 파일럿은 "생의 이 너머와 저 너머를 넘나드는/초인적 여정"이
다. "지상의 노정 중/이토록이나 외롭고 쓸쓸한/그야말로 담대하고 장
엄하고 매혹적인" 직업이 있을까. 허리가 허전할 때마다 하늘 어딘가
에 있을 짝을 생각하는 일은 얼마나 아득한 일일까. 시린 창공, 시작과
끝도 없을 광대무변한 하늘, 한 점(点)이 떠 있다, 나의 사랑이!

지상에서 그와 똑같음을 느끼고 체험할 수는 없을까. 그의 절체절
명의 고독과 없음, 비움, 무의식을 안아볼 수는 없을까. 그즈음 시인은
바다를 보았을 것이다. 아니 바다가 다가왔을 것이다. 짙푸른 물색이
그 물량이 덮쳐 넘쳤을 것이다. 끝없는 깊이로 흘러들었을 것이다. "조
천 앞바다 수십 수만 평이/우르르우르르 딤으로 딸려왔"(「바닷가 늙은
집」)고 도망쳐 온 섬의 밤과 "서글프고 막막하기 짝이 없는"(「조천(朝天)
에서」) 기다림과 불안을 안고 바다 속에서 잠들고 싶었을 것이다.

하늘과 가장 닮은꼴로 손 시인은 바다를 직감했을 것이다.

「파일럿」의 비행처럼 그녀도 매일 삶이라는 시의 바다를 항해한다.

섬에 들었다. 붕괴 직전에 이른 폐가에 몸을 의탁한 지 4년, 침구로 배어들어 등짝까지 축축해지는 지독한 습기와 고질적 두통의 원인인 곰팡이와 천장 위 고양이와의 동거도 같은 햇수다. 이 밖의 무수한 복병에도 불구하고 섬을 뜨지 못했던 건 인간들로부터 버려지고 내쳐진 오두막의 처연한 눈빛 때문이다. 아무리 그렇다 해도 내가 할 수 있는 일이란 고작해야 사철 꽃 지는 일 없게 마당을 가꾼다거나, 가만가만 말 걸어주고 칭찬해주는 따위가 전부였을 뿐, 허나 진심이 읽혀졌던 걸까? 그는 눈 먼 보리숭어의 비상과 화염이라고밖에 달리 표현할 길 없는 장엄한 놀을 앞마당에 펼쳐주었다. 분에 넘치는 포상이다.

사는 일이 매양 이러하다. 어눌하고 촌스럽고 거절에 서툴러 궂은일을 자초하기도 한다. 오지랖이 넓어 아프고 고달프고 사무치고 아련하다. 시가 나를 향해 제 발로 찾아와준 건 어쩌면 이런 못난 구석이 눈에 밟혀서 일게다. 혼자 놔둘 수 없게 위태로워 손 내밀어 준 것일 게다. 한 일에 비하면 황홀한 포상이다.

시에게 진 빚이 많다.

어림없겠지만 이 시집으로 그 빚이 일부나마 변제됐으면 좋
겠다.

2014년 가을, 제주 조천에서

손세실리아